hein en d

Wouter Kersb

met tekeningen van Gerd Stoop

Zwijsen

hein en de eik

ik ben hein.
ik ben een geit.
ik ben een geit aan een touw.
het touw zit aan een eik.
ik wip op en neer.
ik hop.
ik ben boos.
ik pook met mijn poot.

ik kijk naar de heg.
ik wil geen touw.
ik wil hier weg!

ik ruk aan het touw.
ik bijt in het touw.
ik kauw op het touw.
ik hijg.
ik ben boos.
ik wil geen touw.
ik wil hier weg!

dit is niet fijn
voor een geit.
ik ben boos.
ik kook!
ik beuk met mijn kop op de eik.
au!

een buil

ik ben hein.
ik ben een geit met pijn.
ik ben sip.
op mijn kop is een buil.
dat is niet fijn.
ik huil.
mijn oog is nat.
mijn buik is leeg.
ik beef met mijn lijf.
ik heb zin in kool.
een kool voor mijn bek.
een kool is zoet.
ik gil:
'een kool is wat ik wil.'

ik ben een geit
aan een touw.
het touw zit aan een eik.
dat is niet fijn
voor een geit.
ik lik aan mijn sik.

bos en zee

was het touw maar los!
dan liep ik weg van de eik.
dan liep ik naar de heg.
dan liep ik naar het bos.
dan liep ik ver.
heel ver weg.

was het touw maar los!
dan dook ik door de heg.
dan riep ik:
'hein is weg!
hein is weg!
hoor je,
hoor je,
wat ik zeg?
ik ben hein en ga op reis.
ik ga naar de zee.
daar eet ik ijs.
hein is weg!
hein is weg!'

tom de raaf

ik ben een geit aan een touw.
het touw zit aan een eik.
dat is niet fijn
voor een geit.

wat hoor ik in de eik?
ik kijk heel hoog.
in de eik zit een dier.
het dier zit hoog op een tak.
'wie ben jij?'

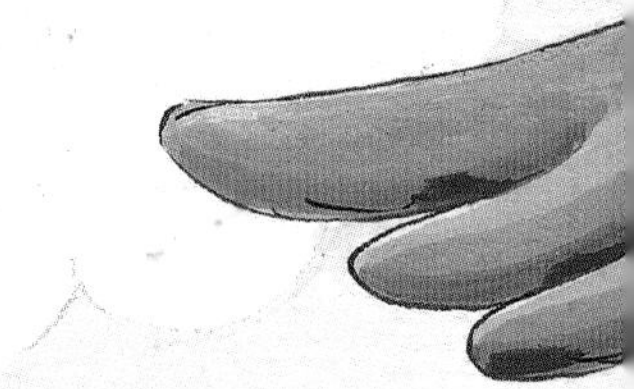

het dier zegt: 'raaf raaf raaf.
ik ben tom de raaf raaf raaf.
ik kijk naar jou raaf raaf raaf.
wie ben jij?'

'ik ben hein.
ik ben een geit.
ik ben een geit aan een touw.
ik ben een geit met een buil.
dat is niet fijn.'

tom de raaf zegt: ‘raaf raaf raaf.
dat is niet tof raaf raaf.
doe net als ik raaf raaf raaf.

ik wip van de tak.
ik ben weg.’
de raaf is weg.

jos de muis

ik ben een geit aan een touw.
ik beuk met mijn kop op de eik.
au!

ik hoor wat bij mijn poot.
ik kijk.
bij mijn poot zit een dier.
het dier zit in een gat.
‘wie ben jij?’

het dier zegt: ‘piep piep piep.
ik ben jos de muis piep piep.
ik kijk naar jou piep.
wie ben jij?’

‘ik ben hein.
ik ben een geit.
ik ben een geit aan een touw.
ik ben een geit met een buil.
dat is niet fijn.’

de muis zegt: ‘piep piep piep.
dat is niet tof piep piep.

doe net als ik piep.
wip in het gat.’
jos de muis is weg.

mit de koe

ik ben een geit aan een touw.
ik beuk met mijn kop op de eik.
au!

ik hoor wat bij de heg.
ik kijk.
bij de heg is een dier.
het dier eet.
'wie ben jij?'

'ik ben mit de koe.
ik kijk naar jou.
ben jij mijn buur?
je doet zo zuur.'

'ik ben hein.
ik ben een geit.
ik ben een geit aan een touw.
ik ben een geit met een buil.
zeur ik te veel?
zeur ik nou?'

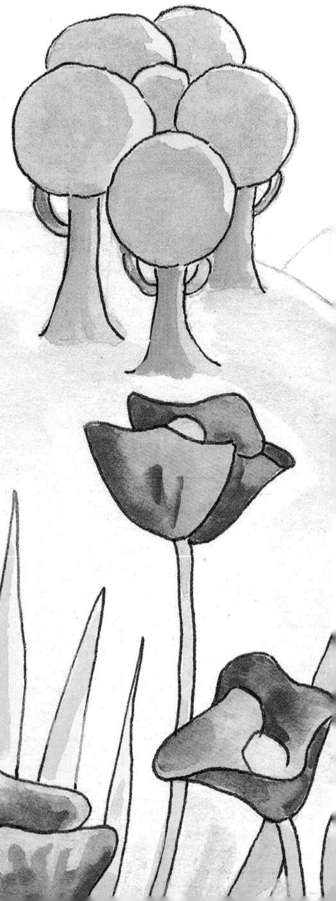

mit de koe zegt: ‘boe boe boe.
dat is waar boe boe boe.
doe net als ik doe doe doe.
eet en wees blij.’

tim de uil

ik ben hein.
ik heb geen voer.
ik beuk met mijn kop op de eik.
au!

ik hoor wat bij mijn oor.
ik kijk.
bij mijn oor is een dier.
het dier is lief.
'wie ben jij?'

'ik ben tim de uil.
ik kijk naar je buil.
dat doet pijn.
de buil is net een ei.'

'ik ben hein.
ik ben een geit met pijn.
ik ben een geit aan een touw.
ik wil hier niet meer zijn.
wat moet ik doen, tim?'

tim de uil zegt: ‘hoe hoe hoe.
je wilt wel weg, maar je weet niet hoe.
doe je oog maar toe.’

ik beuk met mijn kop op de eik.
au!

ik ben wel heel moe.
ik doe mijn oog toe.

ik voel me fijn.
ik voel me blij.
ik kijk met een oog om me heen.
ik zie de heg.
ik loop weg.
dit is dol.
au!
ik heb pijn aan mijn nek.
dat is waar.
ik ben een geit aan een touw.
het touw zit aan de eik.
ik wip op en neer.
ik hijg.
ik pook met mijn poot.
ik wil dit niet meer!

bol de big

mijn buik is zo leeg.
ik ben heel boos.
ik wil kool.
een kool voor mijn bek.
een kool is zoet.
ik gil.
waar is mijn baas?
ik hoor wat bij de heg.
is dat mijn baas?
maar nee,
het is een dier met een buik.
'wie ben jij?'

'ik ben bol de big big big big.
beuk maar op de eik big big.
dat is leuk.'

ik kijk fier.
dan ren ik.
ik beuk tegen de eik.
en nog eens.
en nog eens.
en kijk!
de eik valt om.
big bol is niet dom.

ik ben vrij!

ik ren naar big bol.
ik geef hem een lik.
big bol zegt: ‘gek!
doe niet zo maf, hein.’

‘ik ben hein.
ik ga op reis.
ik ga naar de zee.
daar eet ik ijs.
big bol, kijk niet zo gek.
jij gaat mee.’

sterretjes bij kern 7 van Veilig leren lezen

na 19 weken leesonderwijs

1. heug en meug
Elle van Lieshout & Erik van Os en Lars Deltrap

2. hein en de eik
Wouter Kersbergen en Gerd Stoop

3. piet en riet
Martine Letterie en Rick de Haas